KU-538-468

Pour Mine
et ses mille chats

Dépôt légal : septembre 1983
Numéro d'édition : 32502
ISBN 2-07-039510-3
Imprimé par la Editoriale Libraria en Italie

LE LIVRE DE MON CHAT

COLLECTION DECOUVERTE CADET

Vincent Landel
Illustrations de
Monika Beisner
Erik Blegvad
Laura Bour
William Geldart
Jean-Pierre Moreau
Eric Tenney

GALLIMARD

De sa fourrure blonde et brune
Sort un parfum si doux, qu'un soir
J'en fus embaumé, pour l'avoir
Caressée une fois, rien qu'une.

C'est l'esprit familier du lieu ;
Il juge, il préside, il inspire
Toutes choses dans son empire ;
Peut-être est-il fée, est-il dieu ?

Quand mes yeux, vers ce chat que j'aime
Tirés comme par un aimant,
Se retournent docilement
Et que je regarde en moi-même,

Je vois avec étonnement
Le feu de ses prunelles pâles,
Clairs fanaux, vivantes opales,
Qui me contemplent fixement.

Charles Baudelaire

Ce livre appartient
à mon chat...

Comment appeler son chat

C'est un art délicat, que d'appeler son chat :
Le baptiser n'est pas un simple passe-temps.
Je ne travaille pas du chapeau, croyez-moi,
Mais sachez-le, un chat a trois noms différents.
Un chat a, tout d'abord, son nom de tous les jours,
Comme Pierre ou Jean-Paul, Aglaë, Pompadour,
Comme Sylvain ou Luc, Chat-fourré, Cyprien…
Tous sont des noms sérieux, pour chats bien de chez nous.
Mais un chat a besoin, il faut que ça se sache,
D'un vrai nom personnel, un nom plus majestueux.
Sans ce nom, il ne peut pas redresser sa queue,
Affirmer sa fierté, hérisser ses moustaches.
Des noms de cette sorte, en veux-tu, en voilà,
Comme Méta-Mhétyl. Ouitchi, Kalikola…
Mais par-dessus tout ça, il reste encore un nom,
C'est le nom que jamais nul ne peut deviner,
C'est le nom dont jamais nul ne saura le nom,
LE CHAT QUI LE CONNAIT ne veut le révéler…

Thomas Stearns Eliot

D'où vient le mot chat ?

Le mot *chat* proviendrait d'Afrique. *Kadista* aurait donné *qatto* en Syrie, *qett* en langue arabe, *kattos* en grec et enfin *cattus, cattare,* « voir » en latin. C'est de là que l'on aurait tiré le *cat* anglais, le *katze* allemand et le *chat* français.

Chaque année, le ministère de l'Agriculture choisit la première lettre qui doit servir à baptiser certains animaux comme les chevaux et les bovins, inscrits dans les livres officiels. Toutes les lettres de l'alphabet sont utilisées, sauf le K, le Q, le W, le X, le Y et le Z. Si en principe, cette décision concerne plutôt les chats de race pure, rien n'interdit de l'utiliser pour nos chatons nés dans les « gouttières »...

En 1983, cette lettre est le **U**

Voici une liste de noms très pratique quand on est à court d'idées.

A Ali-Baba, Alfred, Archibald, Auguste

B Bill, Blanche, Blinis

C Camille, Cora, Corico, Criton

D Démon, Desdémone, Doyenne, Divine

E Électre, Émile, Éponine, Écu

F Filasse, Fanfaron, Fil-de-fer

G	Goulu, Golo, Goret, Galipette
H	Hamilcar, Hermine
I	Ignard, Isis
J	Job, Juju, Jazz, Juke-Box
K	Khol, Kim, Krouik
L	Lolotte, Lilith, Louise
M	Mysong, Moune, Mona Lisa
N	Nabuchodonosor (Nabu), Négus, Néron
O	Oscar, Othello, Olga, O. K., Ophélie
P	Pirate, Pignouf, Philémon, Polochon
Q	Quick, Quaker, Quid
R	Rastaman, Rhubarbe, Raminagrobis
S	Syphon, Signal, Saint-Médard, Serpolet
T	Tigresse, Tigne, Tarzan, Treets
U	Uranus, Uche, Ulysse
V	Victor, Vaucresson, Vipère
W	Watt, Walsch
X	Xérès, Xénon, Xýlène
Y	Yacht, Yogi, Yo-Yo
Z	Zéro, Zeste, Zazou, Zorro

Carte d'identité

année 1983-1984

Dessinez ici votre chat et remplissez sa carte d'identité

NOM : *Oscar*

AFFIXE* : *de la Rambouillère*

NOM DU PÈRE : *Alfred*

NOM DE LA MÈRE : *Yvette*

PEDIGREE : *n° 34 778 IP Q 00000*

DATE DE NAISSANCE : *03/12/1982*

RACE : *Siamois*

SEXE : *Masculin*

COULEUR DE LA ROBE : *Beige ganté de brun*

COULEUR DES YEUX : *Bleu*

* Affixe : particule de noblesse

Qu'est-ce qu'un chat ?
C'est un roi
Un soir de gala
En tournure
De fourrure

Gisèle Prassinos

Qu’est-ce qu’un chat ?

Le chat fait partie de la famille des Félidés. Il est carnivore, comme tous les animaux qui se nourrissent surtout de viande. C’est un animal vertébré, car il possède un squelette, et un mammifère, car il respire avec des poumons et allaite ses petits.

Les cousins du chat

On rencontre partout les félins, sauf au Pôle Nord et au Pôle Sud. Les cousins du chat se divisent en trois groupes : les petites espèces qui ronronnent ; les grandes espèces qui rugissent ; enfin, le guépard, qu'il faut classer à part car ses griffes ne sont pas rétractiles.

1. **Le tigre** vit en Asie. Son corps massif le rend redoutable. Il se nourrit de singes, d'animaux domestiques, d'oiseaux, de grenouilles et de termites.

2. **Le lion** est un énorme félin. On le rencontre en Asie et en Afrique. Les mâles possèdent une abondante crinière foncée.

3. **Le guépard** vit dans les régions arides de l'Asie du Sud et de l'Afrique. C'est le plus rapide des animaux terrestres. La queue est longue. Le guépard chasse les antilopes et les lièvres.

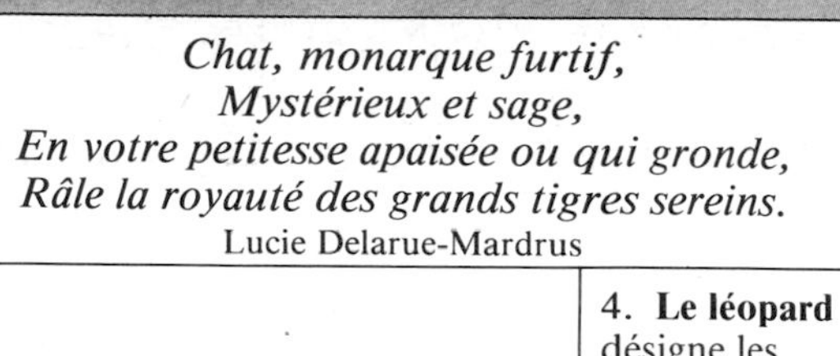

Chat, monarque furtif,
Mystérieux et sage,
En votre petitesse apaisée ou qui gronde,
Râle la royauté des grands tigres sereins.
Lucie Delarue-Mardrus

4. **Le léopard** désigne les panthères d'Afrique. Certains ont une fourrure noire : on les appelle les panthères noires (5).

6. **Le jaguar** a un corps plus trapu que ses cousins. Il habite les forêts et les savanes de l'Amérique.

Les petits félins

Le puma(1) est aussi connu sous les noms de couguar, le lion de montagne, et de tigre brun. On le rencontre partout sur le continent américain.

Le léopard tacheté(2), ou petite panthère, habite les forêts profondes de l'Asie du Sud-Est.

Le lynx holarctique(3), ou lynx commun, vit en Europe, dans les forêts où il se nourrit de lièvres, d'oiseaux et de poissons.

Le guépard(4) possède de longues pattes, il est certainement l'animal le plus rapide à la course. On le trouve en Afrique, au Moyen-Orient et en Asie du Sud.

Le guépard (...) ne possède pas des griffes mais des ongles, comme le chien.
Sa course est superbe ; c'est un spectacle inoubliable mais fort rare car généralement on court devant.

Jean l'Anselme

L'ocelot(1), très recherché par les chasseurs de peaux, est aujourd'hui menacé de disparition.
Le serval(2) ressemble à son cousin le tigre, en plus petit. Il habite l'Afrique.
Le chat sauvage d'Europe(3) il se nourrit de petits rongeurs, d'insectes et d'oiseaux.
Le chat Manul(4) vit dans les steppes et les régions montagneuses de l'Asie Centrale.
Le chat à tête plate(5) est très rare. On le trouve dans le Sud-Est asiatique.

Des yeux de sphinx

Les yeux de ce mystérieux animal qui, dans chaque prunelle, a la profondeur et les étoiles d'un coin de ciel.

Armand Silvestre

Les yeux du chat sont parmi les plus grands de tout le règne animal. L'iris, très coloré, peut être bleu, émeraude, orange, or, cuivre, noisette, brun, vert, jaune... Quand un chat a des yeux de deux couleurs différentes, on dit qu'ils sont *vairons*. Cette anomalie est assez fréquente chez les chats blancs.

Quand ils regardent droit devant eux, les chats ont une vue profonde qui porte loin, mais les paysages qu'ils rencontrent offrent des contours flous. Et leur champ de vision ne leur permet pas de saisir de chaque côté le relief des objets.

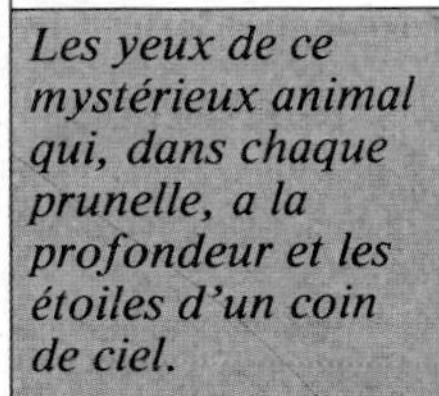

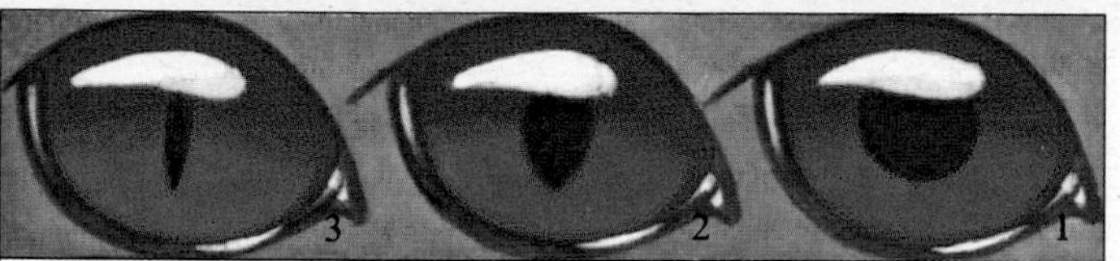

Les chats ne voient pas dans l'obscurité, mais ils distinguent très bien les formes dans la pénombre. Quand le soleil se couche, la pupille de l'œil se dilate (1) pour utiliser le maximum de lumière, jusqu'à former un cercle. Le fond de l'œil est tapissé de petites membranes qui brillent dans la nuit d'un éclat phosphorescent. Quand le jour se lève, la pupille se rétrécit (2) et devient à midi un simple trait (3). On peut ainsi deviner l'heure en observant l'œil de son chat.

Que cherches-tu dans les yeux de cet être ?
Y vois-tu l'heure, mortel prodigue et fainéant ?
— Oui, je vois l'heure ;
Il est l'Éternité.

Charles Baudelaire

Et laisse-moi plonger dans tes beaux yeux,
Mêlés de métal et d'agate

Charles Baudelaire

Les oreilles et les moustaches

Il ne faut jamais couper les moustaches à un chat… Avec les moustaches, il palpe le terrain. Il explore coins et recoins.

J.H. Fabre

L'ouïe du chat est très fine. Il sait distinguer deux sons différents émis au même moment, comme le trot d'une souris couvert par le tonnerre. Son ouïe est sensible à des ondes d'une fréquence de 40 000 vibrations par seconde, inaudibles pour les hommes. La partie extérieure de l'oreille est appelée le pavillon que le chat oriente vers la source sonore. Ce sont des organes très mobiles, équipés à leur base d'un petit soufflet. Les chats s'expriment avec leurs

oreilles. Dressées, elles indiquent l'attention ou le plaisir. Rabattues en arrière, le chat se méfie ou s'apprête à bondir.

Les moustaches, encore appelées vibrisses, sont de longs poils entourés de nerfs, que le chat porte sur la lèvre supérieure. Elles sont plantées dans de petites pelotes de muscles. Un chat ne s'engage jamais dans un passage plus étroit que l'éventail de ses moustaches. Si les moustaches passent, le reste suit.

Les moustaches du chat lui permettent de sentir les obstacles et les proies.

Le chat progresse dans son environnement à l'aide d'« images sonores ». Les sons proches ou lointains captés par son oreille sont enregistrés dans son cerveau.

Le langage

Tu te niches
Sur mon cou
Ton miaou
Me câline
Dodeline
Ton ronron
Me fait rond

Pierre Albert-Birot

Miaou, miaou : que cherchent-ils à dire par là ? Mais le miaulement est un véritable langage, par lequel le chat exprime ses sentiments et ses besoins. Un amoureux des chats aurait découvert 63 significations au traditionnel « miaou ».

Le ronronnement est un murmure continu que le chat émet la bouche fermée, en faisant vibrer ses cordes vocales. Tous les chats ronronnent, même si on ne les entend pas toujours. Ils commencent vers l'âge d'une semaine, alors qu'ils tètent le lait de leur mère. Les chats adultes ronronnent sur deux ou trois notes. La plupart du temps, le chat ronronne de plaisir, mais cela n'est pas toujours vrai.

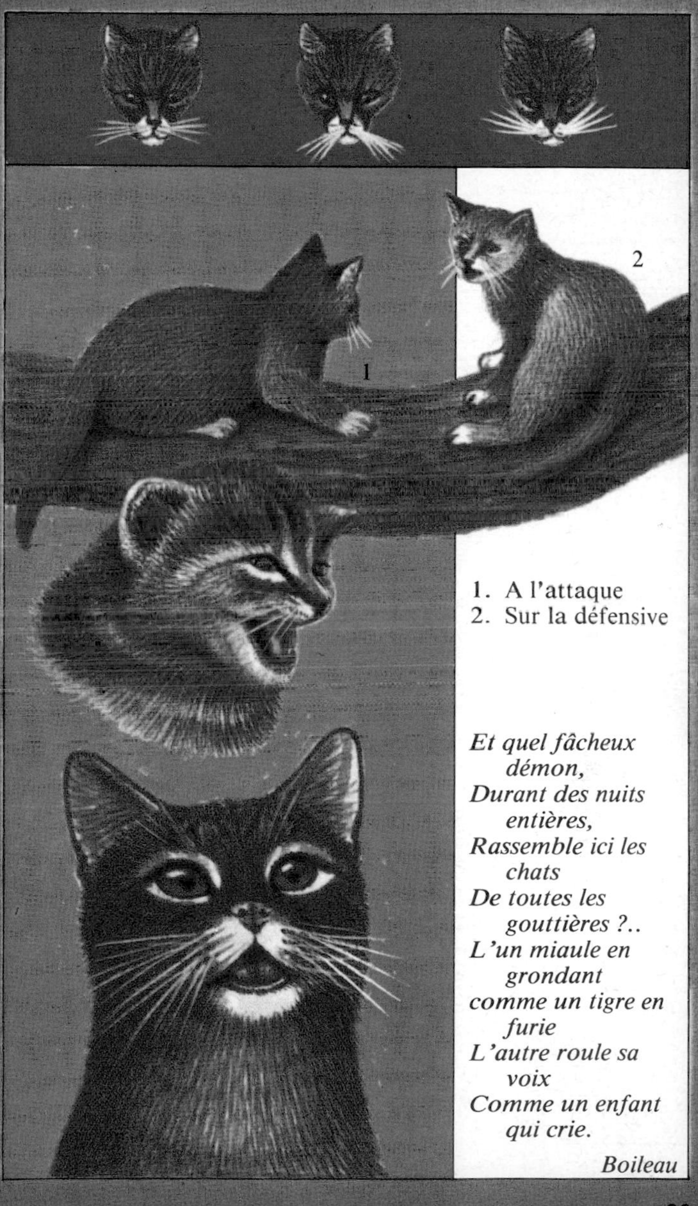

1. A l'attaque
2. Sur la défensive

Et quel fâcheux
démon,
Durant des nuits
entières,
Rassemble ici les
chats
De toutes les
gouttières ?..
L'un miaule en
grondant
comme un tigre en
furie
L'autre roule sa
voix
Comme un enfant
qui crie.

Boileau

Les pattes et la queue

Grâce à un sens de l'équilibre surprenant, un chat tombant même de très haut retombe toujours sur ses pattes.

Le chat a cinq doigts aux pattes antérieures et quatre aux pattes postérieures. Digitigrade, il marche en s'appuyant sur la pointe des pieds, sous lesquels sont logés de petits coussinets élastiques contenant des glandes par lesquelles le chat trans-

A la queue leu leu
Mon petit chat est bleu
S'il est bleu, tant mieux ;
S'il est gris, tant pis.

Comptine de Flandre

pire et ressent le chaud et le froid.

Mue par de petits muscles et des tendons, la queue prolonge l'épine dorsale et assure l'équilibre du chat. Dressée, elle exprime la satisfaction ; grossie, elle signifie la colère ; repliée, elle trahit la peur. Son balancement est un signe d'énervement.

Le chat est allé
Dans la neige
En s'en retournant
Il avait les souliers
tout blancs

Chanson populaire

Le nez et l'odorat

Le chat entre dans le monde des odeurs grâce à une petite poche située sous le palais, appelée l'organe de Jacobson. Quand une odeur lui plaît, il ouvre la bouche pour mieux laisser agir cette glande. Il aime le parfum de la lavande, de la menthe, de l'œillet, du mimosa, et l'odeur des asperges et de l'eau croupie... La valériane et le cataire exercent sur lui un attrait irrésistible. L'odeur du lotus lui plaît infiniment, souvenir, peut-être, de l'époque où il vivait sur les rivages des fleuves égyptiens.

La langue au chat

Ne donne pas ta langue au chat
Jamais il ne te la rendra
Avec ta langue il s'en ira
Jusqu'au lointain Himalaya
et sans langue tu resteras
Jusqu'au retour de Mardi-Gras
Et patati et patata
Jamais ne donne ta langue au chat !

comptine

La langue du chat est large, courte et recouverte de papilles cornées, retournées vers l'arrière, qui rendent son contact rugueux. Il faut éviter de laisser un chat lécher ses plaies, car sa langue joue le rôle d'une lime et empêche la cicatrisation.

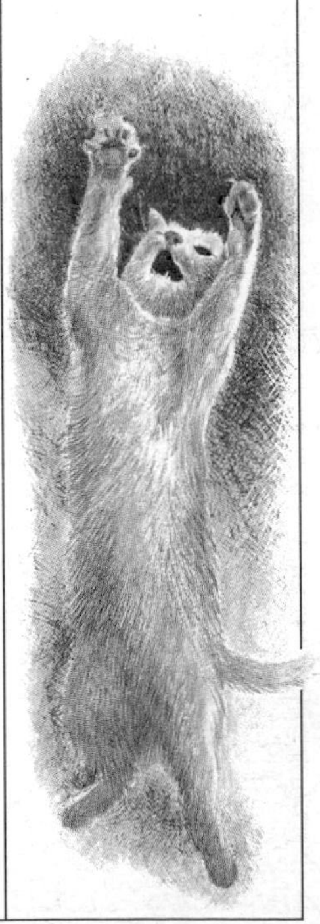

Votre grâce s'enroule ainsi qu'une chenille

Lucie Delarue-Mardrus

Par la fenêtre du numéro deux,
J'ai vu un chaton plein de bleu,
Jouer au ballon avec de la laine,
Jusqu'à ce qu'il en perde haleine.

Gilbert Saint-Pré

Le squelette

1. Crâne
2. Omoplate
3. Sacrum
4. Fémur
5. Péroné
6. Tibia
7. Métatarse
8. Cubitus
9. Côtes
10. Humérus

Le squelette du chat se compose de 230 os environ. La colonne vertébrale, élastique, est la partie la plus mobile du corps.

La tête est petite. La boîte crânienne atteint 36 cm^3 chez le chat de gouttière, et seulement 26 chez le Persan et l'Abyssin. Plus un chat est

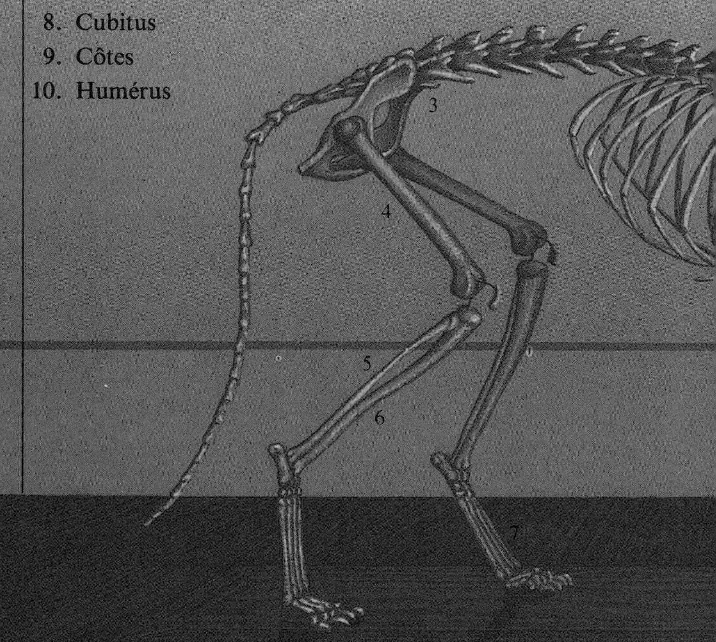

Les personnes étourdies disaient : « C'est un chat gris souris », quoiqu'il soit assez mal élevé de comparer un chat à une souris.

Claude Roy

racé, moins son cerveau est développé.

Les dents sont celles d'un carnivore. Le chat adulte a 12 incisives, 4 canines, 10 prémolaires et 4 molaires. Il peut tuer sa proie, la déchirer, mais non la mastiquer : il mâche peu ses aliments, et avale tout rond les gros morceaux de viande.

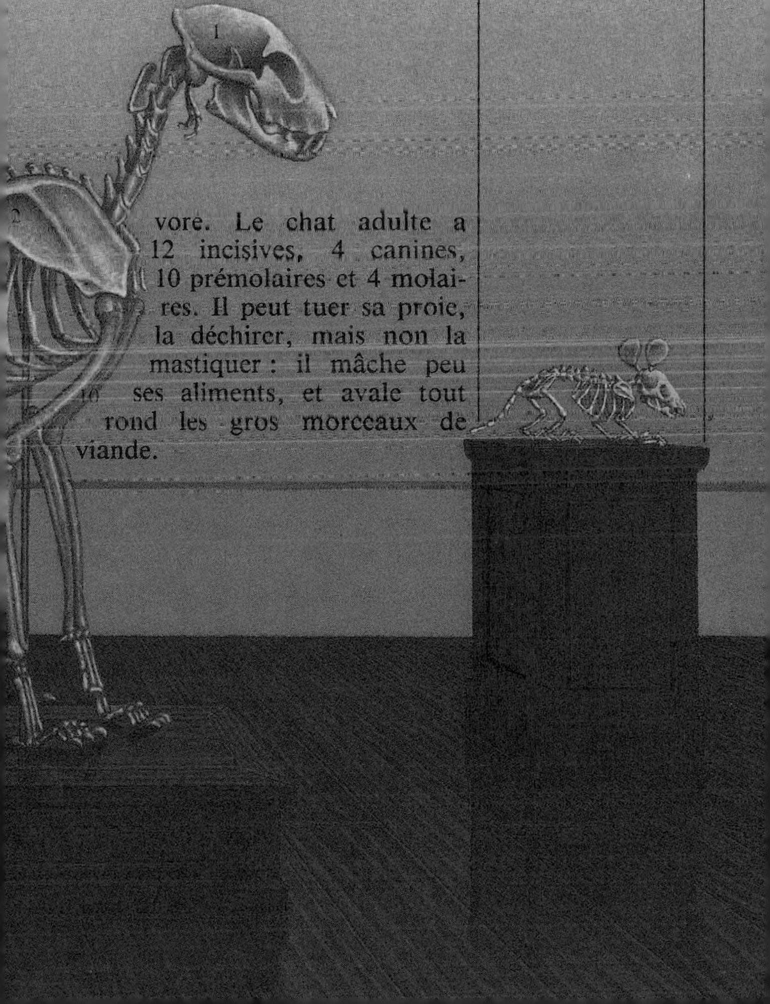

Les muscles

Plus de 500 muscles relient les os entre eux. Les plus puissants commandent les pattes arrière, le cou et les épaules. Grâce à son système musculaire bien développé, le chat est un animal souple, rapide, adroit.

Le squelette entier est habillé d'un pelage ample, qui laisse aux membres une grande liberté de mouvements. Sous la peau, de petits muscles permettent au chat de faire trembler ses poils pour chasser les mouches ou les guêpes.

Chat séraphique, chat étrange,
En qui tout est, comme en un
ange,
Aussi subtil qu'harmonieux !

Charles Baudelaire

Il apprendra à grimper
Tout au long des arcs-en-ciel
Et, sur l'eau des ciels bleus,
Avec ses griffes douces,
Dessinera des ailes
De toutes les couleurs.

Christian Poslaniec

Les muscles sont rattachés aux os par des fibres renforcées par les tendons. Quand il grimpe, le chat se sert des muscles de ses membres postérieurs, et des muscles de ses pattes pour sortir ses griffes.

Les robes

Amoureuse
Et frileuse
Tu me dis
Mon ami
L'heure sonne
Mais personne
Que nous deux
Poil soyeux
Qui se joue
Sur ma joue
L'allumeur
Le bruit meurt
Chatte et homme
Font un somme
Plus un bruit
C'est la nuit

Pierre Albert-Birot

La fourrure du chat, ou robe, le protège du froid, mais aussi des piqûres d'insectes et des épines. Selon la race, le poil peut être court ou long, rêche ou doux, laineux ou crépu, et de coloris très variés.

Il existe cinq grands types de robe. Les chats *tigrés* portent de fines rayures verticales qui descendent sur les flancs. Les chats *marbrés* ressemblent aux tigrés, mais trois bandes parallèles courent sur leur colonne vertébrale. Une robe est *gantée* si les extrémités des pattes et de la queue offrent des couleurs distinctes du reste du corps : points bruns chez le siamois, blancs chez le birman. La robe *tachetée* rappelle la peau de la panthère : les taches sont nettement séparées. Enfin, on parle d'une robe *tiquetée* lorsque trois couleurs habillent le même poil, comme chez l'abyssin.

Les chats bariolés de noir, de roux et de crème, aux couleurs bien distinctes mais sans rayures, sont appelés « écaille-de-tortue ». La couleur lilas désigne une nuance de gris assez chaude.

Tigrée

Marbrée

Tachetée

Gantée

Tiquetée

Épitaphe d'un chat

Petit museau, petites dents,
Yeux qui n'étaient point trop ardents,
Mais desquels la prunelle perse
Imitait la couleur diverse
Qu'on voit en cet arc pluvieux
Qui se courbe au travers des cieux ;
La tête à la taille pareille,
Le col grasset, courte l'oreille,
Et dessous un nez ébénin
Un petit mufle léonin,
Autour duquel était plantée
Une barbelette argentée,
Armant d'un petit poil follet
Son musequin damoiselet ;
La gorge douillette et mignonne,
La queue longue à la guenonne,
Mouchetée diversement
D'un naturel bigarrement :
Tel fut Belaud la gente bête
Qui des pieds jusques à la tête,
De telle beauté fut pourvu
Que son pareil on n'a point vu.

Joachim Du Bellay

Les races

Les principales races de chats sont le Persan, le Siamois, l'Européen, l'Abyssin et le Burmese. On les classe en deux grandes catégories : les chats à poils courts et les chats à poils longs.

Le chat est beau ; il révèle des idées de luxe, de propreté, de volupté.

Charles Baudelaire

Un chat de race pure est un chat dont on connaît les parents et les grands-parents sur cinq générations. C'est à cette condition qu'il pourra être inscrit sur le *Livre des Origines* (L. O.), où figurent tous les chats de race d'un même pays. Le pedigree est une carte d'identité où sont mentionnés la date de naissance, le sexe, la couleur de la robe et des yeux de l'animal.

Les expositions félines récompensent les plus beaux chats. Selon la couleur de leurs yeux, de leur fourrure, la forme de leur tête, les participants reçoivent une note entre 1 et 100. Le champion est celui qui se rapproche le plus du standard de sa race.

Les chats à poils courts

La chatte siamoise,
tout à l'heure
morte d'aise
sur le mur tiède,
ouvre soudain ses
yeux de saphir
dans son masque de
velours sombre.
Colette

Le Siamois

Le Siamois est le plus connu des chats à poils courts. Surnommé le « prince des chats », il serait né dans le palais du roi de Siam, en Asie, puis il aurait été importé en Europe où son élégance, sa majesté le rendirent célèbre.

Amoureux de son maître, il peut vouloir mourir pour lui. Son miaulement ressemble au cri humain. Il est le plus rapide des chats.

L'Abyssin C'est le plus sauvage des chats domestiques. Il aurait été découvert en Éthiopie (Afrique).

Le Burmese Il est américain. De petite taille, il ressemble au Siamois. Le Burmese est paisible et charmeur. C'est un incorrigible goinfre.

Le Chartreux Nul ne sait s'il est né en Afrique ou en France. Tout en lui respire le goût du confort et la bonhomie. Il est à la fois affectueux, aimable et docile. Sa fourrure offre toutes les nuances du gris, du bleu à l'ardoise.

Le Bleu russe Le Bleu russe est né en Angleterre, au siècle dernier. Fier et discret, il se méfie de son entourage. Sa tête triangulaire évoque le Siamois, mais sa fourrure ressemble à celle du Chartreux.

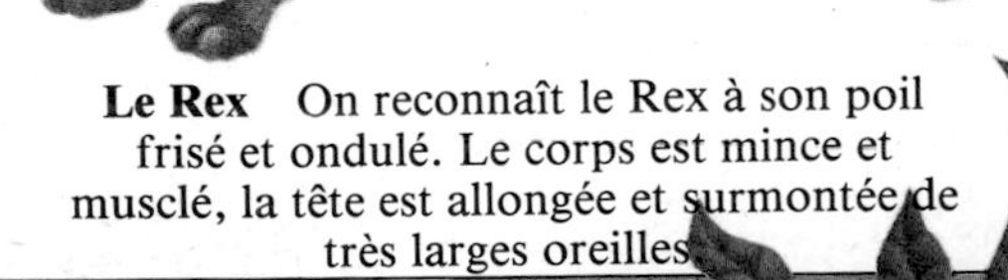

Le Rex On reconnaît le Rex à son poil frisé et ondulé. Le corps est mince et musclé, la tête est allongée et surmontée de très larges oreilles.

L'Européen Chat de « gouttière » de race. On les baptise selon la couleur de leur robe : européen crème, européen noir, blanc, tigré, tabby. L'Européen aime la bagarre et la chasse aux souris et aux rats. Il part souvent en vadrouille, mais revient toujours à la maison.

Le Brun de Havane Né d'un père siamois chocolat-point et d'une mère persane noire, le Brun de Havane est admiré pour sa fourrure châtaigne et ses yeux verts. Il mêle l'agilité du Siamois au flegme du Persan.

Il existe au Mexique un *chat nu,* qui naît sans aucune trace de poils. Les savants ne savent où le classer.

Les chats à poils longs

Lorsque mes doigts
caressent à loisir
Ta tête et ton dos,
élastique,
Et que ma main
s'enivre du plaisir
De palper ton corps
électrique.

Charles Baudelaire

Il y a deux grands types de chats à poils longs : l'Angora et le Persan.

L'Angora est un chat à la fourrure soyeuse, toujours blanche. La race s'est peu à peu éteinte, et aujourd'hui le mot angora désigne les chats sans race au pelage bien fourni. Le Persan, lui, s'est fait connaître dans le monde entier.

Une brise tiède frissonne
Et creuse d'argentines moires
Sur la chatte aux yeux de démone
Qui, sournoise et longue, vient boire
Dans le vase des anémones…

Anna de Noailles

Le Persan est un grand seigneur. Il se pavane, imperturbable, superbe, de coussins en fauteuils. Il aime le confort, le sommeil et le silence.

Le Chinchilla

Le Chinchilla tient une place à part dans la famille des Persans. Il a été créé en 1902 par un éleveur anglais ; en quelques années, il est devenu le plus recherché et le plus cher de tous les chats.

Le Chat sacré de Birmanie

Ce chat a-t-il connu les rivages de la Birmanie ? Nul ne saurait l'affirmer. Le Birman est né d'un père siamois, dont il a hérité de la robe beige gantée de brun. Mais l'épaisseur de sa fourrure rappelle plutôt le Persan. Il manque de patience et déteste être taquiné.

L'Himalayen

On ne connaît pas l'origine de ce chat. Il a le masque et les gants du Siamois, et la fourrure du Persan. Il existe des Himalayens rouges, chocolats, bruns, écaille, lilas et bleus.

Le Chat de Turquie

Le chat de Turquie est l'un des derniers Angoras. Sa fourrure est plus douce et plus soyeuse que celle des Persans. C'est un chat paisible et très affectueux.

D'où vient le chat ?

Le plus lointain ancêtre du chat, le *Miacis,* apparut sur terre il y a quarante millions d'années. Les « miacidés » étaient de petits mammifères robustes, courts sur pattes, qui ressemblaient à des belettes. Ils sont les ancêtres d'animaux aussi différents que l'ours, le chien, l'hyène, la man-

Felis Libica,
ou chat sauvage
africain

Le chat reptile aux yeux d'amant
Hume le long des allées
Des odeurs de terre et de pluie
De sang, d'herbes vertes mêlées.
Catherine Paysan

gouste, le raton laveur, la civette, et tous les membres de la famille des Félidés.

Au début de l'ère quaternaire, un million d'années avant notre ère, il existait environ quarante espèces appartenant au genre « chat ». Deux d'entre elles, le *Felis Libica* (ou chat sauvage africain) et le *Felis silvestris* (ou chat sauvage européen) sont peut-être à l'origine de notre chat domestique.

Felis silvestris, ou chat sauvage européen.

Légendes

Si l'on en croit une légende très ancienne, le chat serait né à bord de l'Arche de Noé, après le Déluge. Noé, voyant son Arche envahie par les rats, alla trouver le lion pour lui demander conseil. Celui-ci réfléchit, soupira profondément, puis il éternua, faisant surgir de son nez un couple de chats.

Une autre légende raconte que le singe, s'ennuyant sur l'Arche de Noé, s'en alla compter fleurette à la lionne, et les fruits de leurs amours furent une chatte et un chat.

Pour ne pas troubler son ami,
Vénérablement endormi
Dans les plis soyeux de sa manche
D'un fer généreux il retranche
La riche part de son habit
Dont le chat s'est fait un lit.

Guyot-Desherbiers

Une histoire venue de la Grèce raconte que le dieu Apollon, pour effrayer Diane sa sœur, créa le lion ; Diane inventa à son tour le chat pour se venger et se moquer du roi des animaux.

Mais c'est sans doute d'Arabie que nous vient la plus belle légende : le prophète Mahomet lui-même aurait préféré couper une manche de son vêtement sur laquelle son chat Muezza s'était endormi, plutôt que de le réveiller…

Un enfant des dieux

C'est en Égypte, vers l'an 2 200 avant Jésus-Christ, que l'on rencontre le premier chat domestique. Il est alors le compagnon de l'homme qui l'emploie pour lutter contre les rats, les souris et les serpents.

Les Égyptiens respectaient profondément les chats. Quiconque tuait ou blessait un chat encourait la peine de mort.

C'est l'esprit familier du lieu ;
Il juge, il préside, il inspire
Toutes choses dans son empire,
Peut-être est-il fée, est-il Dieu ?

Charles Baudelaire

En 525 avant J.-C., le roi de Perse Cambyse, ennemi des Égyptiens, usa d'un habile stratagème. Au moment de donner l'assaut au port de Peluse, défendu par l'armée égyptienne, il distribua des chats au premier rang de ses troupes. Les Égyptiens se rendirent sans lutter, pour ne pas risquer de tuer un seul chat. Les Égyptiens considéraient ces compagnons de tous les instants comme de véritables dieux. Ils croyaient que la déesse Isis s'était changée en chatte pour échapper aux meurtriers de son mari Anubis, le dieu des morts.

Les chats ressemblent aux dieux, car ils aiment les caresses et n'en rendent pas ; il y a en eux je ne sais quoi de céleste et de mystérieux, ils voient la nuit comme le jour, et leurs yeux clairs semblent le reflet des astres.
H. Cammas et Lefèvre

Les Égyptiens adoraient aussi la déesse Bastet, qui était représentée sous l'aspect d'une femme longue et mince à tête de chat. La déesse était accompagnée d'une portée de chatons qu'elle abritait dans un panier, ou qui se tenaient à ses pieds. Chaque année se déroulait dans la ville de Berbastis une cérémonie au cours de laquelle les Égyptiens transportaient en bateau la statue de Bastet et sacrifiaient des prisonniers en son honneur.

À cette époque, chaque famille possédait un ou plusieurs chats. Quand l'un d'eux mourait, tous les membres de la famille se rasaient les sourcils en signe de deuil. Pour montrer leur peine, ils se frappaient la poitrine en gémissant. Puis le maître de la maison enveloppait le corps du chat dans un drap et le portait chez l'embaumeur. Celui-ci parfumait le chat mort, l'entourait de bandelettes colorées et déposait la momie dans un cercueil en bois, incrusté de pierres précieuses. Enfin la famille suivie par un cortège funèbre portait le cercueil jusqu'au cimetière, où tous les chats étaient enterrés. On a retrouvé dans la ville de Beni Hassan un cimetière qui contenait plus de 300 000 momies.

Les feux de la Saint-Jean

Un chat qui, d'une course brève,
Monta au feu Saint-Jean en Grève
Mais le feu ne l'épargnant pas
Le fit sauter de haut en bas.
Légende d'un dessin du XVIIe siècle

Adorés au temps des Pharaons, les chats ont été maltraités tout au long du Moyen Age. Les chats tigrés et les chats noirs étaient accusés d'avoir conclu un pacte avec le diable. Les gens superstitieux étaient même persuadés que les sorcières se transformaient en chats pour commettre leurs méfaits. Chaque année, en France, à la Saint-Jean, des centaines de chats étaient brûlés vifs dans de gigantesques bûchers. Cette coutume cruelle dura jusqu'au XVIIIe siècle.

Je suis le diable, et je vais commencer mes diableries sous la lune montante, parmi l'herbe bleue et les roses violacées... Gardez-vous, si je chante trop haut cette nuit, de mettre le nez à la fenêtre : vous pourriez mourir soudain de me voir, sur le faîte du toit, assis tout noir au centre de la lune !...

Colette

J'habite une maison de chats

Les chats, chez moi, miaulent tout le jour. Il y en a de toutes couleurs : des noirs à prunelle verte, des blancs aux yeux bleus, des gris à poil ras de souris, des roux sauvages, des cendrés et des rayés, et certains couverts de taches comme des monstres.
Tout le jour ils dégringolent les escaliers, courent sur les balcons, sautent par les fenêtres, galopent sur les toits. La nuit on entend leurs chutes sourdes et leurs hurlements d'enfants égorgés par des sorcières. Des portées de petits chats rampent au soleil. Des chattes se font belles à coups de langue. D'autres font le gros dos, ploient jusqu'à terre leurs souples échines, se soufflent au nez avec fureur et se griffent à toute volée. Ils s'envolent, culbutent, se précipitent, d'une vie de clowns et de gymnasiarques.

Paul Marguerite

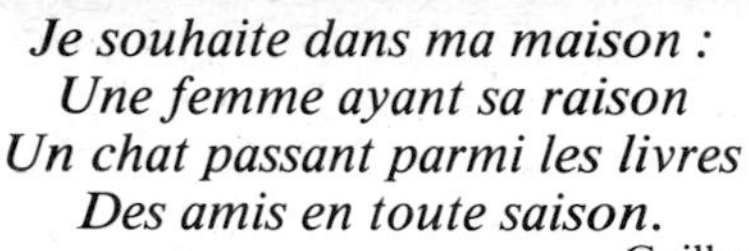

Je souhaite dans ma maison :
Une femme ayant sa raison
Un chat passant parmi les livres
Des amis en toute saison.

Guillaume Apollinaire

Le chat pénètre dans la maison à pas feutrés, puis il inspecte attentivement les lieux. Curieux, il arpente coins et recoins ; inquiet, il tend l'oreille au moindre bruit, surveille le sillage des parquets, promène son nez le long des murs et sous les fauteuils. Puis il s'installe.

Malgré son caractère réservé, le chat aime vivre avec les hommes. Les premières rencontres seront d'abord mêlées de défiance et de crainte. Un geste brusque et il s'enfuit : il lui faut infiniment plus de douceur. Enfin il daigne, après ce rituel, accepter la main qui lui est tendue, et s'offrir aux caresses.

Vous voilà adopté.

Les chatons

Lorsqu'ils naissent, les chatons ont les yeux fermés. Ils ne les ouvriront qu'au bout de 8 à 13 jours. D'instinct, ils apprennent rapidement à téter le lait des mamelles de leur mère. Six semaines plus tard, parfois davantage, ils pourront commencer à se nourrir par leurs propres moyens.

Jeux de chatons

Dès la plus tendre enfance, les chatons sont attirés par tout ce qui court, glisse ou vole. Un bouchon accroché à un fil, une pelote de laine vaudront tous les jouets de luxe — prétextes à de réjouissants ballets réglés par d'innombrables acrobaties.

Pendant qu'il joue, le chaton apprend les gestes nécessaires à la chasse : il guette, bondit et mord son jouet comme il le fera plus tard avec les souris et les rats.

Mais le voilà qui sort de cette nonchalance :
Brusquement il devient joueur et folichon.
Alors, pour l'intriguer un peu, je lui balance,
Au bout d'une ficelle invisible, un bouchon.

Edmond Rostand

Mon Mistigri, mon infidèle,
Tu dois venir quand je t'appelle,
Au lieu de courir la souris
Tout le jour et encor la nuit.
Je n'aime pas cette manière
De te sauver dans les jardins
Quand je t'ai préparé du pain,
Et de la sauce et du gruyère...
Tu en connais, toi, des maîtresses
Aussi patientes que je suis,
Et qui vous font mille caresses
Après qu'on s'est si mal conduit ?

Jean Desmeuzes

Un espace réservé

Le redressement des sourcils, le renversement des oreilles, le hérissement des moustaches, le froncement du nez, un pli imperceptible de la lèvre, l'agrandissement ou le rétrécissement des paupières, l'avivement de l'œil, un frémissement de la queue et certaines façons de se ramasser et de porter le poids de son corps sur une seule patte, sont autant d'indices précurseurs de l'orage, auxquels on ne se trompe guère.

Louis Pergaud

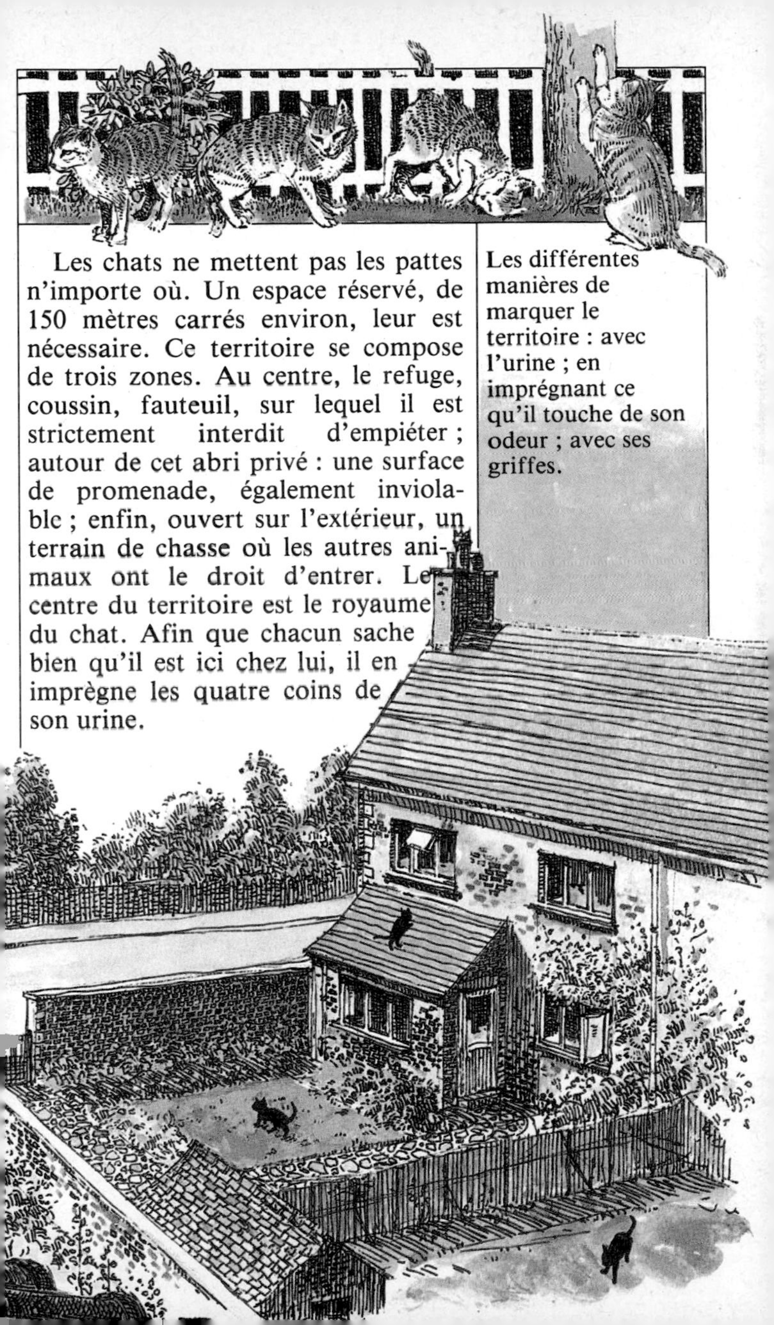

Les chats ne mettent pas les pattes n'importe où. Un espace réservé, de 150 mètres carrés environ, leur est nécessaire. Ce territoire se compose de trois zones. Au centre, le refuge, coussin, fauteuil, sur lequel il est strictement interdit d'empiéter ; autour de cet abri privé : une surface de promenade, également inviolable ; enfin, ouvert sur l'extérieur, un terrain de chasse où les autres animaux ont le droit d'entrer. Le centre du territoire est le royaume du chat. Afin que chacun sache bien qu'il est ici chez lui, il en imprègne les quatre coins de son urine.

Les différentes manières de marquer le territoire : avec l'urine ; en imprégnant ce qu'il touche de son odeur ; avec ses griffes.

Le chat et l'oiseau

Un village écoute désolé
Le chant d'un oiseau blessé
C'est le seul oiseau du village
Et c'est le seul chat du village
Qui l'a à moitié dévoré
Et l'oiseau cesse de chanter
Le chat cesse de ronronner
Et de se lécher le museau
Et le village fait à l'oiseau
De merveilleuses funérailles
Et le chat qui est invité
Marche derrière le petit cercueil de paille
Où l'oiseau mort est allongé
Porté par une petite fille
Qui n'arrête pas de pleurer
Si j'avais su que cela te fasse tant de peine
Lui dit le chat
Je l'aurais mangé tout entier
Et puis je t'aurais raconté
Que je l'avais vu s'envoler
S'envoler jusqu'au bout du monde
Là-bas c'est tellement loin
Que jamais on n'en revient
Tu aurais eu moins de chagrin
Simplement de la tristesse et des regrets

Il ne faut jamais faire les choses à moitié.

Jacques Prévert

La chasse

Quand le chat est à l'affût, ses griffes sont cachées dans un repli de la peau. Puis il bondit, et enserre sa proie à l'aide de celles-ci. Les chats se « font les griffes » pour les limer et éviter ainsi de se blesser.

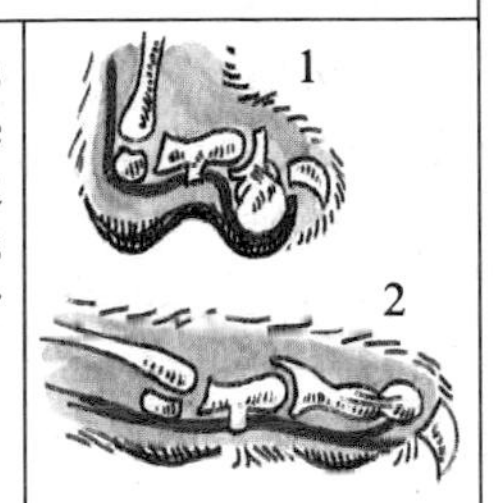

Les griffes sont rétractiles :
1. Rétractées.
2. Sorties.

Alléluia !
Martin s'en va
Dans son grenier
Chercher des rats ;
C'est pas pour lui,
C'est pour son chat,
Alléluia !

Comptine française

Les chats sont de redoutables chasseurs. La chatte montre très tôt à ses petits comment chasser les rats ; elle leur apprend à se méfier des rats d'égout, les surmulots, qui sont des adversaires trop dangereux. On a calculé qu'un chat tuait plus de 3 000 rats par an. Tous les chats jouent avec leur proie avant de la tuer.

Mais non, chat gris,
Lorsque tu as bondi,
Ce n'est que l'ombre d'une rose
À peine éclose
Que tu as prise
Pour une souris.
Maurice Carême
Griffes et coussinets

La toilette et le sommeil

Le chat a le sens de la propreté poussé à l'extrême ; il ne supporte pas la moindre tache sur sa fourrure : après son repas, il se débarbouille soigneusement, puis lisse les poils de sa robe jusqu'à ce qu'elle brille comme un sou neuf. Sa langue rugueuse passe et repasse sur la moindre partie de son corps ; pour nettoyer les parties les plus difficiles à atteindre, il humecte sa patte de salive, et l'applique sur ses joues et sur le sommet de son crâne. Le moindre poil couché en sens inverse sera aussitôt remis dans le droit chemin.

Si le chat se frotte l'oreille,
le mistral se réveille.

dicton

Avec amour le chat se lèche
Puis il s'endort dans son orgueil
Mais prenez garde il dort d'un œil
Et pourrait bien vendre la mèche.

Daniel Lander

Le chat est un gros dormeur : il passe les deux tiers de sa vie à dormir. Il aime se prélasser sur les coussins où il s'endort longuement. Plus de 12 heures de sommeil sont nécessaires à son système nerveux. Quelques bâillements annoncent l'impérieux besoin. Alors le félin se couche sur le côté, se roule en boule ou s'étire de tout son long. Ses oreilles se couchent, ses yeux clignotent. Bientôt, un sursaut de la patte, un tremblement des moustaches laisseront croire qu'il rêve...

Ne réveillez pas
le chat qui dort.

dicton

J'ai vu comment
ondulait
en dormant le chat ;
la nuit
courait en lui comme
l'eau obscure...

Pablo Neruda

« Minet du Cheshire ! », fit Alice.... « Voudriez-vous me dire quel chemin je dois prendre pour sortir d'ici ? »

Et le Chat du Cheshire lui dit quel chemin elle devait prendre si elle voulait rendre visite au Chapelier, et quel pour aller voir le Lièvre de Mars. « Ils sont fous tous les deux ! », conclut le Chat.

Et alors le Chat disparut, tout comme la flamme d'une chandelle lorsqu'elle s'éteint !

Alice se mit donc en route pour aller voir le Lièvre de Mars. Et, en cours de route, elle vit de nouveau le chat ! Et elle lui dit qu'elle n'aimait pas le voir apparaître et disparaître si vite.

Alors, cette fois, le chat disparut très lentement, en commençant par la queue et en finissant par le sourire. N'est-ce pas une étrange chose qu'un sourire de Chat sans aucun Chat ?...

Lewis Carroll

Le petit lexique de mon chat

Ailurophobe
On appelle ailurophobes les personnes qui ne supportent pas le contact des chats. Ailurophobe est formé de deux mots grecs : ailuros, qui veut dire chat, et phobos : effroi.

Anoure
Se dit d'un chat qui n'a pas de queue. Le chat de l'île de Man est « anoure ».

Bleu
La couleur bleu désigne en réalité toutes les nuances du gris, du bleu-gris au gris ardoise. Le Chartreux, le Bleu Russe et le Bleu Crème sont des chats « bleus ».

Bourre
La bourre est une sorte de « sous-poil » qui recouvre la peau de certains chats.

Cacib
Certificat d'Aptitude au Championnat International de Beauté. Diplôme décerné lors des expositions félines aux plus beaux chats du monde.

Chattemite
« Faire la chattemite », c'est se comporter de façon modeste et douce pour mieux tromper son monde.

Chatterie
Une chatterie est une friandise. Faire des chatteries à une personne, c'est la cajoler. Le mot désigne aussi les endroits où vivent les chats (l'équivalent des chenils pour les chiens).

Cimetière
Dans la ville d'Asnières, en France, il existe un cimetière réservé aux animaux où l'on trouve de nombreuses tombes de chats. Les maîtres des chats défunts viennent régulièrement déposer des fleurs sur la sépulture de leurs anciens compagnons.

Constellation du Chat
C'est le nom que le savant Lalande a donné à une formation d'étoiles dont les contours dessinent une silhouette de chat. On peut l'apercevoir par les nuits de printemps.

Dickens
Le chat de l'écrivain Charles Dickens, Williamina, n'aimait pas que son maître travaille trop tard dans la nuit. Lorsqu'il estimait venu le moment d'aller se coucher, il éteignait lui-même la bougie avec sa patte.

Eau
Les chats boivent peu, mais ils doivent toujours avoir de l'eau à leur disposition. Un proverbe dit : « Si le chat boit, il veut boire à son aise. »

Écrivains
Beaucoup d'écrivains apprécient la compagnie des chats. Colette, Paul Morand, Pierre Loti, Paul Léautaud vivaient au milieu d'une véritable meute de félins qui n'aimaient rien tant, aux dires de leurs maîtres, qu'écouter le grattement de la plume sur le papier.

Électricité
Le pelage du chat est électrostatique : quand on le frotte, il produit des étincelles.

Expositions
La première exposition féline a eu lieu en 1871 à Londres. Elle remporta un tel succès que chaque année, depuis lors, tous les pays d'Europe récompensent leurs plus beaux chats.

Expressions et proverbes
Avoir un chat dans la gorge (être enroué)
Il n'y a pas un chat (il n'y a personne)
Donner sa langue au chat (s'avouer incapable de deviner)
Il n'y a pas de quoi fouetter un chat (l'événement est sans importance)
Se lever dès potron-minet (se lever à l'aube)
Vivre comme chien et chat (se détester)
Retomber comme un chat sur ses pattes (se tirer habilement d'une situation difficile)
Écrire comme un chat (d'une façon illisible)
La nuit, tous les chats sont gris (la nuit, on confond facilement les choses)
Chat échaudé craint l'eau froide (on craint jusqu'à l'apparence ce qui nous a nui une fois)

F.I.F.
Fédération Internationale Féline. Organise les expositions félines dans le monde entier. Enregistre les races de chats.

Foreign
Le mot « foreign » désigne tous les chats d'origine asiatique. Le Siamois, le Burmese, l'Abyssin, le Rex, le Bleu russe sont des chats « foreign ».

Forestier
Nom des chats sauvages d'Europe.

Gant
On parle de gants à propos des chats dont le pelage est plus foncé aux extrémités des pattes

que sur le reste du corps. Le Siamois est un chat ganté.

Gouttière

Autrefois, les chats sans race étaient appelés « chats de gouttière », en raison de leur attirance pour les toits et les situations élevées. Aujourd'hui, on emploie plus volontiers le terme d'Européen.

Haret

Chat domestique qui est retourné à l'état sauvage. Les chats harets errent dans les campagnes, se nourrissant de gibier et de volailles.

Héros

Le chat occupe une place de choix dans la bande dessinée et les dessins animés. Le premier est apparu en 1896.
Bien d'autres ont suivi : Krazy Kat Carfield, Fritz le Chat, Pussycat, Grominet, etc. Le célèbre Félix le Chat est né en 1920. Ses exploits ont rapidement été adaptés à l'écran, et il est devenu, un an avant Mickey, le premier chat vedette de dessin animé. Ce sont ses espiègleries qui ont inspiré les disputes de Tom et Jerry, chat et souris inséparables.

Horoscope

Dans l'horoscope chinois, chaque année est placée sous le signe d'un animal. Vous êtes « chat » si vous êtes né en 1951, 1963, 1975... Vous êtes d'un caractère prudent, réservé, sérieux dans votre travail. Vous aimez avoir beaucoup d'amis et une maison où vivre en paix. Vous détestez prendre parti. Votre couleur est le blanc, votre plante le figuier, votre fleur la reine-des-prés. Vous deviendrez peut-être philosophe, prêtre, diplomate.

Intelligence

Les chats sont-ils intelligents ? Nul ne le sait. Mais certaines anecdotes conduisent à se poser la question. On raconte qu'un chat allait jusqu'à déterrer des miettes de pain enfouies sous la neige pour attirer les oiseaux. Un autre avait compris qu'il suffisait de tirer sur le cordon d'une sonnette pour appeler le cuisinier de la maison...

Jeu (cruel)

En 1549, à Bruxelles, un étrange instrument de musique fut dressé en l'honneur du roi Philippe II. C'était une sorte de grand piano, dans lequel on avait enfermé une vingtaine de chats ; leurs queues étaient attachées aux cordes de l'instrument et sortaient par le dessus. Un ours dressé faisait alors lever les cordes, tirant les queues des pauvres chats pour les faire miauler. On appelait ce jeu cruel un « concert de chats ».

Kaffir
C'est le nom d'une race de chats qui vivaient autrefois en Égypte. Le Kaffir serait l'ancêtre de tous les chats européens.

Khmer
La race de chats khmère a été créée en 1930, en France, à partir d'un Siamois et d'une Persane. Le chat khmer ressemble beaucoup plus à son père, et il a été peu à peu remplacé par le Persan colourpoint.

Korat
C'est un chat « foreign », que l'on rencontre très rarement. Sa tête en forme de cœur est prolongée par un nez un peu cassé. Sa fourrure est d'un bleu légèrement argenté.

Loi
En France, le chat est protégé au titre d'animal « toléré par la loi et utile à tous ».

Météo
On dit que lorsqu'un chat se lèche la patte et la passe derrière l'oreille, il va tomber des cordes.

Mue
Un chat en bonne santé a une fourrure épaisse et soyeuse. Les poils de certains chats tombent et repoussent tout au long de l'année ; d'autres changent de fourrure au printemps et en automne, à l'époque de la *mue*.

Nu
Il existe aux États-Unis et au Canada un chat nu, le Sphinx, qui n'a pour toute fourrure qu'un très mince duvet. Il est très rare, mais aussi très laid.

Ocelot de Chine
À peu près l'équivalent, pour les habitants de l'Asie, de notre chat de gouttière. On l'appelle aussi « chat léopard », en raison de sa ressemblance avec son cousin félin.

Paris-Londres
C'est le nom du premier chat qui voyagea en avion.

Peintres
La première peinture de chat remonte à l'âge de pierre. Elle a été découverte en France, dans une grotte, et baptisée le *Petit Diable.* En Égypte, au temps des Pharaons, plusieurs fresques nous montrent des chats en train de capturer des oiseaux ou de mordre des serpents. Plus tard, bien des peintres se sont

passionnés pour les chats.

« Point »
Mot anglais employé pour décrire la robe des Siamois et des Persans. Le « point » est une marque de couleur foncée qui orne les pattes, les oreilles, le masque et la queue.

Population
Il existe environ neuf millions de chats en France, et plus de 35 millions aux États-Unis. Ces chiffres font du chat le plus répandu et le plus apprécié des compagnons de l'homme.

Porte-bonheur
Au Japon, les chats à courte queue étaient considérés comme des porte-bonheur. À l'inverse on soupçonnait les chats à longue queue de prendre forme humaine pour ensorceler les hommes.

Quarantaine
Lorsqu'une personne emmène son chat dans un pays étranger, elle doit présenter à la douane un certificat de bonne santé signé par un vétérinaire, qui prouve que son chat ne risque pas de contaminer les habitants du pays. Au Danemark, en Angleterre et à Hong-Kong, les chats sont dès leur arrivée conduits dans une chatterie où ils resteront pendant quarante jours. Cette « quarantaine » a pour but d'éviter que les chats malades ne transmettent leurs microbes.

Raminagrobis
C'est ainsi que La Fontaine baptisait les chats de ses fables. Le nom vient du berrichon *rominer* (ronronner) et de *gros bis* (homme imbu de lui-même).

Ronsard
Le poète français Ronsard n'aimait pas les chats :

Homme ne vit qui
tant haïsse au monde
Les chats que moi,
d'une haine
profonde...

Santé
Un chat en mauvaise santé se reconnaît facilement : ses poils tombent, son pelage devient terne. On voit apparaître au bas de l'œil une petite paupière, le corps clignotant, qui est habituellement caché à l'intérieur de l'œil et sert à chasser les impuretés, un peu comme un essuie-glace.

Souricier
Chat chasseur de souris. On dit « chats souriciers » comme on dit « vaches laitières ». Au Xe siècle, les chats étaient reconnus d'utilité publique, car ils chassaient les rats porteurs de la peste. Quand on tuait ou blessait un chat, son maître pouvait réclamer une certaine somme équivalent à la valeur officielle de l'animal.

Stop
Le stop est la petite dépression qui sépare le nez du front. Il est beaucoup plus marqué chez le chien que chez le chat.

Tabby
On dit qu'un chat est « tabby » quand sa robe est rayée sur un fond uniforme.

Trahison
Dans l'art chrétien, le chat était le symbole de la trahison. Dans la Cène, il se trouve souvent aux côtés de Judas.

Utile
On n'a encore jamais vu de chat policier. Pourtant le chat est très utile à l'homme. Autrefois, les chats des marins, des meuniers et les ratiers protégeaient les provisions de leurs maîtres des rats ou des souris.

Vairon
Certains chats ont des yeux de couleurs différentes. Leurs yeux sont « vairons ». Le Persan blanc aux yeux vairons a un œil bleu, et l'autre orange.

Valériane
La valériane est une plante dont les chats adorent l'odeur. On l'appelle aussi herbe-à-chats. Pour obtenir une sorte de valériane, il suffit de planter dans un pot rempli de terre quelques grains de blé, d'orge ou d'avoine.

Vibrisses
Les vibrisses, ou moustaches, sont de longs poils très sensibles, qui permettent au chat d'éviter, la nuit, les obstacles.

Wong-Mau
C'est le nom d'une chatte venue de Birmanie. Elle serait la mère de tous les chats burmese.

Ypres
Au Moyen Âge, les habitants de la ville d'Ypres, en France, renouvelaient tous les ans une bien cruelle coutume : le « Kattestoet » ou « lancer de chats », du haut des tours d'un manoir. En 1939, les chats d'Ypres furent remplacés par des poupées en peluche.

Zibeline
Couleur de robe brun foncé, très courante chez le Burmese.

Zulu
Le premier chat abyssin, ancêtre de sa lignée, s'appelait Zulu.

Biographies

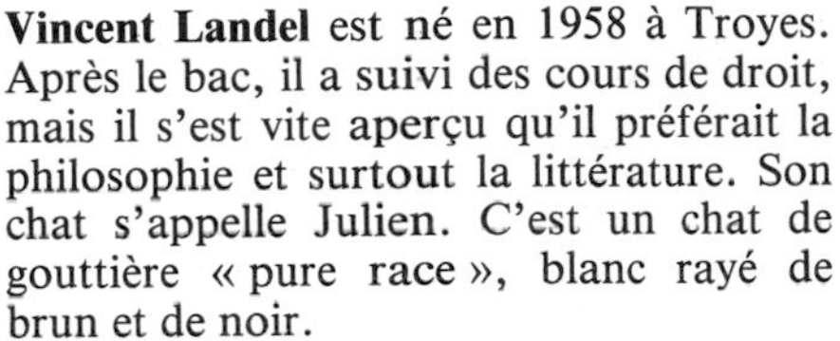

Vincent Landel est né en 1958 à Troyes. Après le bac, il a suivi des cours de droit, mais il s'est vite aperçu qu'il préférait la philosophie et surtout la littérature. Son chat s'appelle Julien. C'est un chat de gouttière « pure race », blanc rayé de brun et de noir.

Monika Beisner est née à Hambourg en Allemagne et a étudié le dessin et la peinture dans les meilleures écoles d'art de Berlin, Londres et New York. Ses premiers livres pour enfants ont été publiés en Allemagne, où elle est considérée comme une des meilleures illustratrices contemporaines, et aux États-Unis. C'est cependant à Londres qu'elle a choisi de vivre. Elle habite au cœur de Londres un atelier plein de plantes vertes, dont le plafond est une verrière et qui ressemble à un vrai jardin **(Pages 7 à 11).**

Elle a également réalisé la **couverture** de ce livre .

Né à Copenhague, au Danemark, en 1923, **Erik Blegvad** a vécu et travaillé en Angleterre, en France et aux États-Unis. C'est en arrivant dans ce dernier pays, en 1951, que Erik Blegvad a commencé à faire des livres pour enfants. Depuis, il a illustré plus de quatre-vingts textes. Il vit en partie à Londres, en partie dans le midi de la France, avec sa femme Lénore et leurs deux garçons **(Pages 68 à 73).**

Laura Bour est née en 1964 à Chaumont. Elle n'a jamais aimé l'école, mais elle a toujours aimé dessiner. Elle habite à la campagne et quand elle ne dessine pas, elle observe les oiseaux, construit des cabanes ou galope à cheval. Elle a deux

amies qui ont servi de modèle à ses dessins : Trompette et Jérémie. **(Pages 48 à 55).**

Graphiste et illustrateur, **William Geldart** est en Angleterre un artiste très connu. Il possède sa propre galerie où il expose et vend ses œuvres. Affectionnant surtout le noir et le blanc qu'il manie à la perfection dans le dessin animalier et la représentation de paysages, Geldart a signé les illustrations délicates et précises de *Kes, Le Renard rouge et les tambours fantômes et Les Contes de la brousse fauve* dans la collection Folio Junior, *Un poney dans la neige* dans la collection Folio. **(Pages 26 à 29 et 56 à 67).**

Jean-Pierre Moreau est né en Vendée en 1953. Il a étudié le dessin aux Beaux-Arts d'Angers. Aujourd'hui installé à Paris, il fait de l'illustration son métier, pour la publicité et pour l'édition. **(Pages 30 à 47).**

Eric Tenney est né en Angleterre, dans le Sussex. Il est devenu un grand illustrateur, après avoir travaillé dans la publicité et dans l'édition, bien qu'il n'ait jamais étudié le dessin. Il s'est spécialisé dans l'illustration des animaux et surtout des grands fauves qu'il est souvent allé photographier dans leurs savanes africaines. **(Pages 12 à 25).**

Table des poèmes

l'esprit familier du lieu »... (extrait, *Les Fleurs du mal,* 1861). **52.** H. Cammas et Lefèvre, « Les chats ressemblent aux dieux »... (extrait, *La Vallée du Nil*). **55.** Colette, « Je suis le diable »... (extrait, *La Paix chez les bêtes,* librairie Arthème Fayard, 1958). **56.** Paul Marguerite, « J'habite une maison de chats »... (extrait, *« Mes Chats », Les Pas sur le sable,* Plon, 1906). **57.** Guillaume Apollinaire, « Je souhaite dans ma maison »... (extrait, *Le Bestiaire ou Cortège d'Orphée,* Gallimard, 1920). **59.** Jean Desmeuzes, « Mon Mistigri »... (Semonce à Mistigri, extrait, inédit, cité par J. Charpentreau in *La Poésie comme elle s'écrit,* Éd. Ouvrières, 1979). Edmond Rostand, « Mais le voilà qui sort de cette nonchalance » (*Les Musardises,* Éd. Grasset Fasquelle). **62.** Jacques Prévert, Le chat et l'oiseau (*Histoires,* Gallimard, 1963). **65.** Maurice Carême, « Mais non, chat gris »... (*Pomme de reinette,* Éd. Bourrelier-Colin, 1962). **67.** Daniel Lander, « Avec amour le chat se lèche »... (C comme chat, *Alphabestiaire,* 1980). Pablo Neruda, « J'ai vu comment ondulait »... (extrait, *Vadedivague,* Gallimard, 1971). **68.** Lewis Carroll, « "Minet du Cheshire !" fit Alice »... (extrait, *Alice au Pays des Merveilles,* traduit de l'anglais pour Henri Parisot, Flammarion, 1968).